J'apprends à écrire sans faute

D1196111

Chantecler

Dans beaucoup de mots, tu trouves les syllabes *br, cr, dr, fr, gr, pr, tr* ou *vr* ; comme dans *brosse, crabe, drapeau, frite, gros, prune, triste* ou *livre*.

Complète les mots par br, cr, dr, fr, gr, pr, tr ou vr.

*gr*and	........êle	........oix	........anche
*fr*ein	........intemps	........omage	........agile
*cr*ochet	ti........e	ar........e	........ier
*pr*atique	........ippe	........aîneau	........ivé
*br*indilles	........uche	........evette	........apaud
*fr*acture	........ou	su........e	........ochette
é........evisse	........aise	........anc	........acher
l........ousse	........appe	........imace	esca........on
........ison	........acelet	........ouillard	........ont
........ôle	........ince	........airie	........isaille
........unir	........ain	........ottinette	........amboise
........ofond	........ue	........ouette	........énom
........uit	........igo	........omadaire	........anchette
........aps	pou........e	........iques	........ioche

Au féminin, les mots en *ien* finissent par *ienne*,
les mots en *teur* finissent souvent par *trice*,
les mots en *eur* finissent souvent par *euse*.

Ecris les mots au féminin correctement.

l'instituteur	l' *institutrice*	un indien	une ....
un musicien	une	le vendeur	la ....
le chercheur	la	un acteur	une ....
le fumeur	la	mon chien	ma ....
le masseur	la	l'inspecteur	l' ....
le lecteur	la		
un marcheur	une		
un Italien	une		
le voyageur	la		
l'organisateur	l'		
le jongleur	la		
le magicien	la		
l'ambassadeur	l'		
le coiffeur	la		

Devant *p*, *b* et *m*, in devient *im*, on devient *om*,
en devient *em*, an devient *am*.

Choisis le mot de gauche ou le mot de droite pour compléter les phrases.

lapim	Le *lapin* mange une carotte.	lapin
compote	Tu fais de la *compote* de pommes.	conpote
temte	On monte la _____ pour camper.	tente
simples	Ces calculs sont très _____ .	sinples
mamam	_____ appelle ma sœur.	maman
température	La _____ remonte, il fait beau.	tenpérature
jambes	Il a mal aux _____ .	janbes
timbre	Il colle un _____ sur l'enveloppe.	tinbre
vemdredi	Aujourd'hui, c'est _____ .	vendredi
pompiers	Les _____ combattent le feu.	ponpiers
tambour	Il frappe fort sur le _____ .	tanbour
embrasse	Elle _____ sa maman en arrivant.	enbrasse
emmène	Je t' _____ faire une course.	enmène
regomfler	Je vais _____ mes pneus.	regonfler

Au masculin, on écrit *eil* à la fin du mot: *réveil*;
au féminin, on écrit *eille* à la fin du mot: *abeille*;
dans le mot, on écrit *eill*: *meilleur*.

Ecris les mots du cadre dans ces phrases!

Le *soleil* brille aujourd'hui.

Quelle bonne _____ de vin.

Ce film est _____!

Il s'est blessé le gros _____.

Voilà la gelée de _____.

Il _____ les enfants.

Il est _____ à celui-ci.

Ecoute bien, tends l'_____.

C'est le _____ du nouvel an.

Quelle belle _____ de fleurs.

bouteille	merveilleux	oreille	orteil	corbeille
groseilles	réveillon	soleil	surveillait	pareil

De nombreux mots se terminent par *nc*, *nt* ou *nd*; comme *tronc*, *pont* ou *blond*.

Ecris la finale qui convient et recopie le mot correctement.

le sava*nt*   *le savant*   le gla.............   ....

un bo.............   ....   un fra.............   ....

mon ba.............   ....   un jo.............   ....

ce.............   ....   le ro.............   ....

le gra.............   ....   bla.............   ....

mécha.............   ....

le serpe.............   ....

puissa.............   ....

du ve.............   ....

conte.............   ....

un clie.............   ....

le marcha.............   ....

le ga.............   ....

la de.............   ....

le.............   ....

Nous écrivons le son *in* de différentes manières: *in* dans *sapin*, *im* dans *timbre*, *ain* dans *bain* et *ein* dans *ceinture*.

Classe les mots dans la bonne colonne et barre-les dans le cadre.

<u>in</u>	<u>im</u>	<u>ain</u>	<u>ein</u>
requin			

maintenant   simple   ~~requin~~   pain   plein   lapin
peinture   imbuvable   linge   américain   teinture
impoli   cintre   frein   nain   chemin   reins
timbale   peintre   main   moulin   impossible
enceinte   grain   singe   train   atteinte   demain
grimpeur   imprudent   fin   imperméable

Je vois *g* et j'entends g devant *a, o, u* : *gomme*.
Je vois *g* et j'entends j devant *e, é, è, i, y* : *plonge*.

Recopie les mots dans les bonnes colonnes.

		J'entends j	J'entends g
une girafe	la gare	*une girafe*	
une girouette	Gilbert		
égal	une plage		
des images	une gomme		
un égout	la figure		
le fromage	le garçon		
une virgule	Gustave		
gênée	elle bouge		
la bougie	une anguille		
le goût	sage		
la cagoule	le gant		
la gifle	manger		
la gymnastique	une cage		
du gâteau	la bagarre		

On écrit *est* quand on peut remplacer par *était* (verbe être);
on écrit *et* quand on additionne deux éléments.

Complète les phrases suivantes par est ou et.

Denis *et* Mathilde colorient avec des crayons .... des feutres.

Le père Noël .... venu m'apporter des jouets .... des livres.

J'ai cueilli des poires .... des pommes dans le verger.

Regarde! Le chat .... la souris filent à la cave à toute vitesse.

La souris .... plus maligne. Elle se cache dans le petit trou.

Mon frère .... blond.

Le chien .... le chat se battent.

Caroline .... mon amie.

Caroline .... sa sœur sont là.

Maud .... partie en Italie.

Laurent .... arrivé en retard.

Ton ami .... toi irez au lac.

Quand ....-il venu ici?

Il porte un sac .... une valise.

Il s'........... caché dans l'auto.

Le son o peut aussi s'écrire *ô* comme dans *tôt*, *au* comme dans *jaune* ou *eau* comme dans *marteau*.

Complète les phrases suivantes par les mots du cadre.

Je me réveille très tôt .

Le raisin est .

Le est dans le pot.

Je m'en vais, à .

Le vogue sur l'eau.

Le sort de l'eau.

Passe à du trou.

L' s'est envolé.

Je mange un bon .

C'est un homme.

pinceau	tôt	mauve	bientôt	bateau
dauphin	côté	oiseau	gâteau	pauvre

Dans de nombreux mots je vois *e* et j'entends e : *pelure*, dans certains mots je vois *e* et j'entends *è* : *bec*.

Lis les mots et classe-les dans les colonnes. Attention: ne tiens pas compte du e qui se trouve en fin de mot.

J'entends e			J'entends è
petit	petit	fermier	
	bec	cafetière	
	perle	serpent	
	menu	verre	
	pelure	pelage	
	terre	cercle	
	berceau	berger	
	pelote	chemin	
	imperméable	merle	
	genou	premier	
	perdu	cheminée	
	demander	chef	
	neveu	biberon	

Pour former le *pluriel*, nous ajoutons souvent *s* à la fin du mot: *un enfant → des enfants*.

Ecris les mots proposés au pluriel.

gaufre   A la récréation, les enfants mangent des *gaufres* .

frère   Mes _____ et moi adorons jouer dehors.

chien   Le chasseur entre dans les bois avec ses _____ .

bonbon   Grand-mère ouvre une grosse boîte de _____ .

amie   Pour mon anniversaire, je vais inviter mes _____ .

crayon   Tu dois bien ranger tes _____ dans ton plumier.

enfant   Le maître fait ranger les _____ par deux.

voiture   Devant la douane, les _____ font la file.

film   Cette semaine, il y a beaucoup de beaux _____ .

fruit   Il faut manger des _____ pour être en forme.

feuille   Les arbres perdent leurs _____ en automne.

pièce   Il a perdu trois _____ de son puzzle.

brique   Les ouvriers arrachent les _____ du mur.

dessin   Le maître ramasse tous nos jolis _____ .

tartine   Le matin, je mange au moins quatre _____ .

Un seul *s* entre deux voyelles se prononce *z* : une *rose* ;
deux *ss* entre deux voyelles se prononcent *s* : une *brosse*.

Ajoute s ou ss et recopie les mots.

une bo_ss_e   *une bosse*   la vite......e   ....

une ta......e   ....   il se ra......e   ....

la cha......e   ....   un fri......on   ....

la cai......e   ....   un tré......or   ....

il me lai......e   ....   le pa......age   ....

il est ca......é   ....

un maga......in   ....

la grai......e   ....

le ba......in   ....

il est ru......é   ....

la ca......erole   ....

un oi......eau   ....

le de......in   ....

le croi......ant   ....

la vali......e   ....

> Généralement, les mots terminés par *al* se terminent par *aux* au pluriel: un journal → *des journaux*;
> sauf: des bals, des cals, des carnavals, des chacals, des régals et des festivals.

Ecris au pluriel!

général	*généraux*	loyal	....
génial	....	banal	....
latéral	....	métal	....
amiral	....	régal	....
ventral	....	canal	....
festival	....	bocal	....
caporal	....		
local	....		
bal	....		
chacal	....		
signal	....		
cheval	....		
carnaval	....		
cristal	....		

Nous écrivons *br* dans *brosse* et *pr* dans *prune*,
fr dans *fromage* et *vr* dans *livre*.

Classe les mots du cadre dans la bonne colonne.

prince   frigo   pauvre   brique   bras   propre
gaufre   branche   vivre   chèvre   frère   prêter
prison   bruit   lèvre   framboise   brunir   frite
ouvrir   ombre   prix   ouvreuse   fraise   sombre
prénom   lévrier   froid   ivre   prairie
brouillard   épreuve   fragile

br	pr	fr	vr
brique			

A la fin des mots masculins, on écrit *ail: le bétail*;
à la fin des mots féminins, on écrit *aille: la médaille*;
dans les mots, on écrit *aill: le maillot*.

Complète les mots des phrases par ail, aille ou aill.

Le trav*ail*........ de ces ouvriers est difficile et très dangereux.

Il me faut un m............ot pour aller nager à la piscine.

Le fermier doit rentrer beaucoup de p............ pour ses animaux.

Frottez-vous bien les pieds sur le p............asson avant d'entrer.

Dans la cour on a assisté à une bat............ entre deux grands.

Le fermier fait rentrer le bét..........

Le T.G.V. file sur ses r............s.

Le soldat a reçu une méd............

Un trav............eur s'est blessé.

Le poisson a des éc............s.

Quel bel évent............!

Aide-moi à t........er ces crayons.

Quel beau costume à p......ettes!

Sa t............ est 1m50.

> J'entends g et j'écris *g* devant a, o, u: *gare*;
>   j'écris *gu* devant e, i, y: *bague*.
> J'entends j et j'écris *g* devant e, i, y: *magie*;
>   j'écris *ge* devant a, o, u: *plongeon*.

A toi de compléter les mots par g, ge ou gu. N'oublie pas de les recopier.

g omme	*gomme*	mar......erite	
......âteau		diri......able	
pla......e		man......ons	
......are		......erre	
......itare		......irafe	
pi......on		......enou	
......êpe		vir......ule	
fi......ure		bla......e	
......ifle		......arçon	
ba......ette		......ymnastique	
......ara......e		é......ale	
......ustave		......endarme	
ai......ille		nei......e	

Au pluriel, la plupart des noms terminés par ou se terminent par *s*, sauf: *des choux, des bijoux, des genoux, des cailloux, des hiboux, des joujoux et des poux* qui se terminent par *x*.

Ecris les mots au pluriel.

le trou	les *trous*	le chou	les
un hibou	des	le joujou	les
un clou	des	un pou	des
le cou	les	un matou	des
le verrou	les	le mérou	les
l'écrou	les	le sapajou	les
le genou	les		
un bijou	des		
le coucou	les		
un filou	des		
le fou	les		
le caillou	les		
le voyou	les		
un sou	des		

Lorsque je vois *s*, parfois j'entends *s*: *salade*;
parfois j'entends *z*: *rose*;
parfois je n'entends *rien*: *Paris*.

Lis les mots du cadre et recopie-les dans la bonne colonne.

rose	sardine	gros	radis	saladier	cousin	tapis
sucre	brebis	maison	costume	soldat	blouse	
sel	poison	plumes	chose	usée	sachet	
bois	dépose	sarbacane	pois	mauvais		

Je vois s, j'entends s.	Je vois s, j'entends z.	Je vois s, je n'entends rien.
sardine		

> Les mots qui se terminent par *eau* au singulier prennent *x* au pluriel: un bateau → *des bateaux*.

Complète les phrases par les mots au pluriel.

bateau	Tous les marins naviguent sur des *bateaux* .
gâteau	Elle mange des tas de petits _____ à midi.
chapeau	Le clown jongle avec des _____.
marteau	Pour bricoler, nous utilisons des _____.
beau	Nous garderons les plus _____ dessins.
ciseau	Regarde ma nouvelle paire de _____.
poireau	J'adore manger de la soupe aux _____.
drapeau	Les _____ flottent aux fenêtres.
rouleau	J'ai acheté deux _____ à pâtisserie.
château	Nous avons deux _____.
chameau	Dans le désert, on circule sur le dos des _____.
seau	Il faut plusieurs _____ pour remplir le bassin.
pinceau	Je peins avec mes nouveaux _____.
oiseau	Les _____ s'en vont en automne.
ruisseau	Ces _____ forment de grandes rivières.

> J'écris *ont* lorsque je peux le remplacer par *avaient* (verbe avoir); j'écris *on* lorsque je peux le remplacer par *il*.

Complète les phrases par ont ou on.

On fait attention pour traverser.

Elles .... acheté une voiture.

Ils .... mangé des pâtes.

.... doit être là dès huit heures.

.... partira demain.

............-ils reçu des cadeaux?

............-ils bien écouté?

Ce soir, ... va au cinéma.

.... m'a raconté une histoire.

Ils arrivent dès qu'ils .... mangé.

.... se tait en classe.

Ils .... recopié tous les mots.

.... regarde la télévision.

............-ils terminé ce travail?

.... sonne à la porte.

Ils .... bu du jus de fruit.

Maud et Sylvie .... raison.

Vers midi, ... aura fini.

Ils .... mangé de bons fruits.

............-ils dormi ici?

.... ira dormir là.

> On écrit *ses* pour marquer l'appartenance: *ses jouets = les siens*;
> on écrit *ces* pour montrer, préciser: *ces arbres = ceux-là!*

Complète les phrases par ces ou ses.

Pour venir jouer, il a apporté *ses* camions et aussi _____ autos.

_____ poissons que tu vois sont des truites et des brochets.

Chaque soir, il doit préparer _____ vêtements et _____ chaussures.

_____ oiseaux-là sur les fils se préparent à nous quitter pour l'hiver.

Il nous fait toujours rire en nous racontant _____ souvenirs-là.

_____ dernières années, les cheveux de papy sont devenus blancs.

_____ clowns sont comiques. Vois celui-là, avec _____ souliers jaunes.

_____ derniers jours, la température est nettement descendue.

L'écolier dépose _____ cahiers et _____ crayons sur le banc.

Le papa tient la main de _____ enfants qui viennent à l'école.

_____ enfants de ma classe sont très gentils avec la maîtresse.

A qui sont _____ bonbons sur l'armoire? A Charlotte ou à Thomas?

Il me prête _____ jouets pour un jour. Je les lui rendrai demain.

Cette maman attend _____ enfants. Ils sont assis sur _____ chaises.

A la fin des mots féminins, on écrit *ouille*: *grenouille*.
Dans les mots masculins ou féminins, on écrit *ouill*:
bouillon.

Ajoute ouill ou ouille et recopie les mots correctement.

le br*ouill*ard _brouillard_   la br...................   ....

une citr...................   ....   la m...................ette   ....

la r...................   ....   le tr...................ard   ....

du b...................on   ....   le br...................on   ....

de la h...................   ....   la vadr...................   ....

b...................ante   ....

m...................é   ....

b...................abaisse   ....

la patr...................   ....

une b...................otte   ....

de la b...................ie   ....

la gren...................   ....

d...................et   ....

ratat...................   ....

LE GENRE ET LE NOMBRE

Un nom peut être *masculin singulier*, comme le *chat* ;
masculin pluriel, comme des *avions* ;
féminin singulier, comme la *fille* ;
féminin pluriel, comme les *filles*.

Classe les noms du cadre dans les bonnes colonnes.

masculin singulier	féminin singulier	masculin pluriel	féminin pluriel
canard			

sœur   mallettes   canard   camions   poisson
frites   placards   famille   feuilles   crayon
barquette   oiseau   cahiers   livres   pomme
poire   bateaux   voiles   mer   requin   frère
poupées   pères   gomme   café   graines
téléphones   images

> Les mots terminés par *eau, au, eu* prennent *x* au pluriel,
> sauf *des landaus, des sarraus, des pneus* et *des bleus*.

Ecris les mots au pluriel.

le bateau	les *bateaux*	un pieu	des ....
un oiseau	des	un seau	des ....
le marteau	les	le ciseau	les ....
ton cadeau	tes	un gâteau	des ....
le feu	les	une peau	des ....
un pneu	des		
le cheveu	les		
le bleu	les		
un lieu	des		
le pruneau	les		
mon neveu	mes		
mon chapeau	mes		
un jeu	des		
un landau	des		
le pinceau	les		

> Un même métier peut être exercé par un *homme* (le *boucher*) ou une *femme* (la *bouchère*).

Cherche le féminin des métiers dans le cadre et écris-le.

> magicienne   écolière   pharmacienne   musicienne
> vendeuse   masseuse   institutrice   boulangère
> couturière   bouchère   directrice   chanteuse
> pâtissière   ouvrière   danseuse

le boulanger	la *boulangère*	le danseur	la ....
le pharmacien	la	le chanteur	la ....
le boucher	la	un ouvrier	une ....
l'instituteur	l'		
le vendeur	la		
le magicien	la		
le couturier	la		
le musicien	la		
le pâtissier	la		
le masseur	la		
le directeur	la		
un écolier	une		

> On écrit *ce* pour montrer un objet: *ce vase = celui-là*;
> on écrit *se* devant une action que l'on subit: *il se blesse*;
> on écrit *s'* quand cette action commence par une voyelle.

Complète les phrases par ce, se, ou s'.

Ce matin, mon frère .... lève tôt pour aller pêcher.

Il .... demande si cet endroit est habité.

Il ....abaisse pour regarder la profondeur de la rivière.

.... garçon va certainement beaucoup .... amuser.

.... gros oiseau .... envole vers les pays chauds.

.... pilote pousse sur les freins et la voiture .... arrête.

Ils .... arrangent toujours pour .... cacher quand j'arrive.

.... n'est pas la peine de .... lever quand j'entre en classe.

.... n'est rien mais il faudrait ....écrire plus souvent.

Il .... habille tout seul avant d'aller à l'école.

.... petit bébé .... endort paisiblement le soir.

.... gros ballon rouge .... élève lentement dans le ciel.

Valérie et Marjorie .... embrassent pour se dire bonjour.

As-tu vu .... joueur qui .... avance sur le terrain?

SOLUTIONS

Exercice 1

Dans certains cas, il existe plusieurs possibilités. Nous les indiquons toutes.

frein
crochet ⎫
brochet ⎭
pratique
brindilles
fracture
écrevisse
frousse ⎫
trousse ⎬
brousse ⎭
prison
drôle
brunir
profond
bruit
draps

grêle ⎫
frêle ⎭
printemps
titre ⎫
tigre ⎭
grippe
cruche
trou
fraise ⎫
braise ⎭
frappe ⎫
grappe ⎬
trappe ⎭
bracelet
prince
train
crue ⎫
grue ⎭
frigo
poudre

croix
fromage
arbre
traîneau
crevette
sucre
franc
grimace
brouillard
prairie
trottinette
brouette
dromadaire
briques ⎫
criques ⎬
triques ⎭

franche ⎫
branche ⎭
fragile
crier ⎫
prier ⎬
trier ⎭
privé
crapaud
brochette
cracher
escadron
front
grisaille
framboise
prénom
branchette
brioche

Exercice 2

une musicienne
la chercheuse
la fumeuse

la masseuse
la lectrice
une marcheuse

une Italienne
la voyageuse
l'organisatrice
la jongleuse
la magicienne
l'ambassadrice

la coiffeuse
une indienne
la vendeuse
une actrice
ma chienne
l'inspectrice

Exercice 3

compote
tente
simples
maman
température
jambes
timbre

vendredi
pompiers
tambour
embrasse
emmène
regonfler

Exercice 4

Quelle bonne bouteille de vin.
Ce film est merveilleux!
Il s'est blessé le gros orteil.
Voilà la gelée de groseilles.
Il surveillait les enfants.
Il est pareil à celui-ci.
Ecoute bien, tends l'oreille.
C'est le réveillon du nouvel an.
Quelle belle corbeille de fleurs.

Exercice 5

un bond
mon banc
cent
le grand
le gland
un franc
un jonc
le rond
blanc
méchant

le serpent
puissant
du vent
content
un client
le marchand
le gant
la dent
lent

Exercice 6

in: lapin, linge, cintre, chemin, moulin, singe, fin.
im: simple, imbuvable, impoli, timbale, impos-

sible, grimpeur, imprudent, imperméable.
ain: maintenant, pain, américain, nain, main,
    grain, train, demain.
ein: plein, peinture, teinture, frein, reins, peintre,
    enceinte, atteinte.

Exercice 7

J'ENTENDS J
une girouette
Gilbert
une plage
des images
le fromage
gênée
elle bouge
la bougie
sage
la gifle
manger
la gymnastique
une cage

J'ENTENDS G
la gare
égal
une gomme
un égout
la figure
le garçon
une virgule
Gustave
une anguille
le goût
la cagoule
le gant
du gâteau
la bagarre

Exercice 8

et – est – et – et – et – est – est – et – est – et –
est – est – et – est – et – est.

Exercice 9

Le raisin est mauve.
Le pinceau est dans le pot.
Je m'en vais, à bientôt.
Le bateau vogue sur l'eau.
Le dauphin sort de l'eau.
Passe à côté du trou.
L'oiseau s'est envolé.
Je mange un bon gâteau.
C'est un pauvre homme.

Exercice 10

J'ENTENDS e
cafetière
menu
pelure

J'ENTENDS è
fermier
bec
perle

pelage
pelote
chemin
genou
premier
cheminée
demander
neveu
biberon

serpent
verre
terre
cercle
berceau
berger
imperméable
merle
perdu
chef

Exercice 11

frères
chiens
bonbons
amies
crayons
enfants
voitures

films
fruits
feuilles
pièces
briques
dessins
tartines

Exercice 12

une tasse
la chasse
la caisse
il me laisse
la vitesse
il se rase
un frisson
un trésor
le passage
il est cassé

un magasin
la graisse
le bassin
il est rusé
la casserole
un oiseau
le dessin
le croissant
la valise

Exercice 13

géniaux
latéraux
amiraux
ventraux
festivals
caporaux
locaux
bals
chacals
signaux

chevaux
carnavals
cristaux
loyaux
banaux
métaux
régals
canaux
bocaux

Exercice 14

br: bras, branche, bruit, brunir, ombre, sombre, brouillard.
pr: prince, propre, prêter, prison, prix, prénom, prairie, épreuve.
fr: frigo, gaufre, frère, framboise, frite, fraise, froid, fragile.
vr: pauvre, vivre, chèvre, lèvre, ouvrir, ouvreuse, lévrier, ivre.

Exercice 15

maillot
paille
paillasson
bataille
bétail
rails
médaille

travailleur
écailles
éventail
tailler
paillettes
taille

Exercice 16

gâteau
plage
gare
guitare
pigeon
guêpe
figure
gifle
baguette
garage
Gustave
aiguille
marguerite

dirigeable
mangeons
guerre
girafe
genou
virgule
blague
garçon
gymnastique
égale
gendarme
neige

Exercice 17

hiboux
clous
cous ·
verrous
écrous
genoux
bijoux
coucous
filous
fous

cailloux
voyous
sous
choux
joujoux
poux
matous
mérous
sapajous

Exercice 18

Je vois s, j'entends s: saladier, sucre, costume, soldat, sel, sachet, sarbacane.
Je vois s, j'entends z: rose, cousin, maison, blouse, poison, chose, usée, dépose.
Je vois s, je n'entends rien: gros, radis, tapis, brebis, plumes, bois, pois, mauvais.

Exercice 19

gâteaux
chapeaux
marteaux
beaux
ciseaux
poireaux
drapeaux

rouleaux
châteaux
chameaux
seaux
pinceaux
oiseaux
ruisseaux

Exercice 20

ont – ont – on – on – ont – ont – on – on – ont – on – ont – on – ont – on – ont – ont – on – ont – ont – on.

Exercice 21

ses – ces – ses – ses – ces – ces – ces – ces – ses – ces – ses – ses – ses – ces – ces – ses – ses – ces.

Exercice 22

citrouille
rouille
bouillon
houille
bouillante
mouillé
bouillabaisse
patrouille
bouillotte

bouillie
grenouille
douillet
ratatouille
brouille
mouillette
trouillard
brouillon
vadrouille

Exercice 23

masculin singulier: poisson, crayon, oiseau, requin, frère, café.

masculin pluriel: camions, placards, cahiers, livres, bateaux, pères, téléphones.

féminin singulier: sœur, famille, barquette, pomme, poire, mer, gomme.

féminin pluriel: mallettes, frites, feuilles, voiles, poupées, graines, images.

Exercice 24

oiseaux	chapeaux
marteaux	jeux
cadeaux	landaus
feux	pinceaux
pneus	pieux
cheveux	seaux
bleus	ciseaux
lieux	gâteaux
pruneaux	peaux
neveux	

Exercice 25

la pharmacienne	la pâtissière
la bouchère	la masseuse
l'institutrice	la directrice
la vendeuse	une écolière
la magicienne	la danseuse
la couturière	la chanteuse
la musicienne	une ouvrière

Exercice 26

se – se – s' – ce – s' – ce – s' – ce – s' – s' – se – ce – se – ce – s' – s' – ce – s' – ce – s' – s' – ce – s'.